幼兒版
成語故事

精心挑選42則兒童必學、富涵智慧的有趣成語故事！

風車圖書
WINDMILL

目錄

杯ㄅㄟ弓ㄍㄨㄥ蛇ㄕㄜˊ影ㄧㄥˇ

出處：晉書・樂廣傳

《杯弓蛇影》

晉朝有個好客的人，名叫樂廣。他去探望一位很久不見的朋友，說：「怎麼這麼久不來我家呀？」

朋友說：「上次到你家喝酒，看到酒杯裡有條小蛇，回家後就生病了。」

樂廣回家仔細觀察上次朋友坐的位置，原來是牆上的一把弓，倒映在杯子裡，看起來像一條蛇。樂廣把原因告訴朋友，他的身體就好了。

小小成語通 形容人將虛幻的事情當作真實的，而驚疑害怕。

盲ㄇㄤˊ人ㄖㄣˊ摸ㄇㄛ象ㄒㄧㄤˋ

出處：涅槃經第三十二品

《盲人摸象》

從前印度有位國王，他命令大臣牽來一頭大象，讓四個瞎子摸。第一個摸到象牙，便說大象的形狀像蘿蔔；第二個摸到大象耳朵，便說大象的形狀像畚箕；第三個摸到象腿，就說大象的形狀像石臼；第四個摸到象的背，於是說大象的形狀像一張床。

每個盲人都只摸到一部分，誰也說不清楚大象到底是什麼樣子。

小小成語通 形容只了解事情的一小部分，而無法了解全部。

打草驚蛇（ㄉㄚˇ ㄘㄠˇ ㄐㄧㄥ ㄕㄜˊ）

出處：鄭文寶・南唐近事

《打草驚蛇》

唐朝時，涂縣的縣令王魯暗中做了許多壞事。

有一次，王魯看到別人寫的狀紙，心裡很緊張，因為狀紙上指控的罪行，和他所做的壞事都一樣。他一時倉惶失措，便在狀紙上批了八個字：「汝雖打草，吾已蛇驚。」

意思是說：你雖然打的是地面上的草，但是我就像躲在草叢裡的蛇一樣，已經受到了極大的驚嚇。

小小成語通 比喻讓對方事先知道，有了防備，因而無法達成目的。

東施(ㄉㄨㄥ)施(ㄕ)效(ㄒㄧㄠˋ)顰(ㄆㄧㄣˊ)

出處:莊子・天運

《東施效顰》

春秋時有位絕世美女，名叫西施，她有心口疼痛的毛病，發病時，總是用手按住胸口，並且微微的皺著眉。這副捧心的樣子看起來相當嫵媚動人。

西施有一個鄰居，名叫東施，容貌很醜，她看西施捧心的樣子非常好看，便模仿西施，用手按住胸口，皺起了眉頭。

大家看見她這樣，紛紛躲開，對她非常厭惡。

小小成語通 比喻胡亂模仿，效果卻適得其反。

對牛彈琴

出處：牟融・理惑論

《對牛彈琴》

春秋時，魯國有位音樂家名叫公明儀。有一天，他帶著琴外出，看到一頭牛在河邊吃草，一時琴興大發，就對牛彈奏一首高深的樂曲。牛絲毫沒有反應，低著頭繼續吃草，這讓公明儀非常沮喪。

路人看了說：「不是你彈不好，是牛聽不懂！」他改彈像蚊子、牛蠅和小牛的聲音，果然牛就搖著尾巴、豎起耳朵來聽了。

小小成語通 比喻對不懂道理的人講道理；也譏笑人講話不看對象。

鐵杵磨針

出處：祝穆・方輿勝覽・磨針溪

《鐵杵磨針》

李白幼年時很貪玩，不喜歡讀書。有一天，他在街上閒逛，看見一位老婆婆在石頭上磨著粗鐵棒。李白很好奇，就問她：「您在做什麼？」

老婆婆說：「我要把鐵杵磨成繡花針。」

李白以為老婆婆是在開玩笑，但是她的態度很堅定。李白受了感動，從此發憤圖強，用功讀書，後來成為有名的詩人。

小小成語通 比喻做一件事只要持之以恆，一定會成功。

螳螂捕蟬

出處：莊子‧山木篇

《螳螂捕蟬》

春秋時，吳王要攻打楚國。太子想勸阻，一連三天帶著彈弓在花園散步。

吳王問他在做什麼？太子回答：「一隻蟬躲在樹蔭裡，卻沒有發現螳螂在後面要吃牠；螳螂只想捕蟬，沒發現黃雀要吃牠；黃雀也只看到螳螂，卻忽略了我正拿著彈弓準備射牠。牠們都只顧眼前的利益，忽略了身後危險。」

吳王頓時醒悟，取消攻打楚國的計劃。

小小成語通 比喻只顧眼前的利益，不顧後面的危險。

老馬識途

出處：韓非子‧說林上

《老馬識途》

　　春秋時，山戎國和孤竹國聯合侵犯燕國。管仲、隰朋追隨齊桓公，帶兵前去援救燕國，擊退了山戎國及孤竹國。

　　回程時，齊軍誤入了一個地勢險峻的山谷，四面察看，卻找不到出路。這時，管仲說：「老馬對走過的路是不會忘記的。」

　　齊桓公命令士兵將老馬放在隊伍前帶路，齊軍果然順利的走出了山谷。

小小成語通 比喻經驗豐富的人，適合擔任領導者。

濫竽充數

出處：韓非子・內儲說上

《濫竽充數》

齊宣王很喜歡聽吹竽，他組織了一個三百人的吹竽樂隊，常常讓這三百人一齊吹竽給他聽。

有一位南郭先生，其實不會吹竽，卻混入大樂隊中，拿著竽裝模作樣，好像很會吹竽的樣子。

齊宣王死後，齊湣王繼位，他也喜歡聽吹竽，但他喜歡聽樂手獨奏。南郭先生再也混不下去了，於是偷偷的連夜溜走。

小小成語通 比喻沒有真才實學的人，混在行家裡面充數；也比喻以次等的冒充最好的。

刻ㄎㄜˋ舟ㄓㄡ求ㄑㄧㄡˊ劍ㄐㄧㄢˋ

出處：呂氏春秋‧察今篇

《刻舟求劍》

有個楚國人坐船渡江，不小心把寶劍掉到水裡。他為了不耽誤時間，想等船靠了岸再找，所以就先在船邊刻了一個記號，表示劍落下去的地方。

等船靠岸，他就在船邊做了記號的水面下尋找，結果什麼也找不到。

因為劍是掉在江水裡，而船是會移動的，現在船已經停靠在岸邊，當然找不到寶劍了。

小小成語通 比喻一個人很固執，不知道變通。

河東獅吼

出處：蘇軾詩

《河東獅吼》

宋朝時，有一個人名叫陳季常，喜歡研究佛學。他的妻子柳氏十分凶悍，常常對陳季常發脾氣。

有一天，蘇東坡去拜訪陳季常，剛走到屋外就聽到柳氏怒罵的聲音，就寫了一首詩來取笑陳季常。詩的意思是：「有誰能夠像陳居士這麼有才能呢？談起佛法可以整夜不睡；但聽到妻子的怒罵聲，連枴杖都會從手中掉落。」

小小成語通 比喻凶悍的妻子發威。

畫（ㄏㄨㄚˋ）龍（ㄌㄨㄥˊ）點（ㄉㄧㄢˇ）睛（ㄐㄧㄥ）

出處：張彥遠・歷代名畫記

《畫龍點睛》

南朝有位名叫張僧繇的畫家，他到金陵的安樂寺遊玩，一時興起，在牆上畫了四條龍，但是沒有畫上眼睛。圍觀者問他：「這些龍為何沒有眼睛？」

他答說：「如果畫上眼睛，牠們就會飛走了。」

大家都不信，張僧繇就為兩條龍畫上眼睛，忽然雷電交加，兩條龍竟然真的飛上天空。另外兩條龍則仍然留在牆上。

小小成語通 比喻創作藝術時加上關鍵一筆，便可以使作品生動起來。

畫（ㄏㄨㄚˋ）蛇（ㄕㄜˊ）添（ㄊㄧㄢ）足（ㄗㄨˊ）

出處：戰國策·齊策二

《畫蛇添足》

楚國一位貴族，賞給看守家廟的幾個人一壺酒。但酒不夠分，於是他們決定比賽，看誰畫蛇畫得最快，就由誰喝這一壺酒。

結果有一個人先畫好了蛇，就把酒拿過來。他看別人還沒畫好，就想：「我還能替蛇畫出腳呢！」

當他還在畫蛇腳時，另一人畫好了蛇，就搶走酒說：「蛇本來就沒有腳，怎麼能替牠加上腳呢？」

小小成語通 比喻多此一舉，不但對於事情沒有任何幫助，反而有害。

狐假虎威

出處：戰國策・楚策

《狐假虎威》

有隻老虎捉到了一隻狐狸，狐狸鎮定的說：「我是天帝派來掌管百獸的，你不能吃我；吃了我，就會觸怒天帝。」

老虎不相信，狐狸說：「你可以跟在我後面，走進樹林裡看看。」

老虎跟在狐狸後面走進樹林。動物都被嚇跑了，紛紛躲起來。老虎以為物們怕的是狐狸，而不知道牠們懼怕的其實是牠。

小小成語通 比喻假借他人的權勢來威脅別人。

井底ㄉㄧˇ之ㄓ蛙ㄨㄚ

出處：莊子·秋水篇

《井底之蛙》

在一口廢井裡，有隻青蛙。有一天從海裡來了一隻大鱉，青蛙對大鱉說：「看我住在這多快樂啊！能在井裡自由跳躍，那些小蝌蚪根本比不上我。」

大鱉卻對青蛙說：「你看過又廣又深的大海嗎？發生大水災，海水漲不了多少；遇到大旱災，海水也不會減少。在大海裡才是真正的快樂呢！」青蛙聽了驚訝的說不出話來。

小小成語通 用來形容人見識不廣。

杞人憂天

《杞人憂天》

杞國有一個人，每天都擔心天空會掉下來把他壓死。為了這個問題，他吃不下也睡不著。

後來有人告訴他，天空只是大氣，不會垮下來；就算真的垮下來，也不是人的力量所能挽回的。

杞人又開始擔心太陽、月亮、星星會掉下來，或者地會突然塌陷下去。

杞人整天都在擔心這些事，他一輩子都不快樂。

小小成語通 比喻無謂的擔憂。

雪中送炭

出處：宋史‧太宗本紀

《雪中送炭》

北宋初期某年冬天，大雪下個不停，非常寒冷。

宋太宗在皇宮中，忽然想起：「在這種天寒地凍的日子裡，窮人的處境一定十分艱困、可憐。」

於是宋太宗派官員拿著糧食和木炭，分送給貧窮的人家，讓他們有米可以做飯，有木炭可以取暖。

宋太宗這種愛護百姓的舉動，博得了老百姓的愛戴，傳為千古佳話。

小小成語通 比喻在別人非常困難、危急時，予以協助。

指鹿為馬

出處：司馬遷・史記・秦始皇本紀

《指鹿為馬》

秦始皇死後，次子胡亥繼位。胡亥個性懦弱，於是宰相趙高計畫篡位。

趙高想試探他的實力，故意牽一頭鹿對胡亥說：「這匹好馬獻給皇上。」

胡亥笑著說：「丞相，這明明是鹿，你怎麼說是馬呢？」趙高問其他大臣說：「這是鹿還是馬？」大臣們都附和說是馬。趙高覺得時機已經成熟，不久後就把胡亥殺了。

小小成語通 比喻故意顛倒是非，扭曲事實。

朝ㄓㄠ三ㄙㄢ暮ㄇㄨˋ四ㄙˋ

出處：莊子・齊物論

《朝三暮四》

　　狙ㄐㄩ公ㄍㄨㄥ很ㄏㄣˇ喜ㄒㄧˇ歡ㄏㄨㄢ猴ㄏㄡˊ子ㄗ˙，他ㄊㄚ養ㄧㄤˇ了ㄌㄜ˙很ㄏㄣˇ多ㄉㄨㄛ猴ㄏㄡˊ子ㄗ˙。因ㄧㄣ為ㄨㄟˋ家ㄐㄧㄚ境ㄐㄧㄥˋ不ㄅㄨˋ富ㄈㄨˋ裕ㄩˋ，他ㄊㄚ想ㄒㄧㄤˇ減ㄐㄧㄢˇ少ㄕㄠˇ猴ㄏㄡˊ子ㄗ˙的ㄉㄜ˙食ㄕˊ糧ㄌㄧㄤˊ，於ㄩˊ是ㄕˋ對ㄉㄨㄟˋ猴ㄏㄡˊ子ㄗ˙說ㄕㄨㄛ：「從ㄘㄨㄥˊ今ㄐㄧㄣ天ㄊㄧㄢ起ㄑㄧˇ，我ㄨㄛˇ早ㄗㄠˇ上ㄕㄤ˙給ㄍㄟˇ你ㄋㄧˇ們ㄇㄣ˙三ㄙㄢ顆ㄎㄜ栗ㄌㄧˋ子ㄗ˙，晚ㄨㄢˇ上ㄕㄤ˙給ㄍㄟˇ四ㄙˋ顆ㄎㄜ！」

　　猴ㄏㄡˊ子ㄗ˙聽ㄊㄧㄥ了ㄌㄜ˙，非ㄈㄟ常ㄔㄤˊ生ㄕㄥ氣ㄑㄧˋ，狙ㄐㄩ公ㄍㄨㄥ立ㄌㄧˋ刻ㄎㄜˋ改ㄍㄞˇ口ㄎㄡˇ說ㄕㄨㄛ：「那ㄋㄚˋ麼ㄇㄜ˙我ㄨㄛˇ早ㄗㄠˇ上ㄕㄤ˙給ㄍㄟˇ你ㄋㄧˇ們ㄇㄣ˙四ㄙˋ顆ㄎㄜ，晚ㄨㄢˇ上ㄕㄤ˙給ㄍㄟˇ三ㄙㄢ顆ㄎㄜ，可ㄎㄜˇ以ㄧˇ嗎ㄇㄚ˙？」

　　猴ㄏㄡˊ子ㄗ˙一ㄧ聽ㄊㄧㄥ到ㄉㄠˋ早ㄗㄠˇ上ㄕㄤ˙從ㄘㄨㄥˊ三ㄙㄢ顆ㄎㄜ變ㄅㄧㄢˋ成ㄔㄥˊ四ㄙˋ顆ㄎㄜ，以ㄧˇ為ㄨㄟˊ數ㄕㄨˋ量ㄌㄧㄤˋ增ㄗㄥ加ㄐㄧㄚ了ㄌㄜ˙，就ㄐㄧㄡˋ不ㄅㄨˋ再ㄗㄞˋ吵ㄔㄠˇ鬧ㄋㄠˋ。

小小成語通　比喻人意志不堅定，常常改變主意，說話不算數。

守株待兔
ㄕㄡˇ ㄓㄨ ㄉㄞˋ ㄊㄨˋ

出處：韓非子·五蠹

《守株待兔》

　　春秋時，宋國有一位農夫，有一天在田裡看見一隻兔子不小心撞到大樹，倒地而死，他便撿起死兔子，心想：「假如每天都能撿到兔子，我就不必辛苦工作了。」

　　他再也不肯耕種了，天天守在樹旁等著兔子來撞樹。可是過了很久，兔子並沒有再出現過，而他的田地卻因為長久沒有除草灌溉，都荒廢了。

小小成語通 比喻不肯努力，就想得到成功的投機心理。

入<ruby>木<rt>ㄇㄨˋ</rt></ruby>三<ruby>分<rt>ㄈㄣ</rt></ruby>

出處：張懷瓘・書斷

《入木三分》

晉朝王羲之是中國歷史上有名的書法家，他的書法造詣可說是無人能比。他的字體，秀麗中帶著蒼勁，柔軟中又有剛強，是後世臨摹的典範。

據說王羲之曾在一塊祭祀用的祝板上題字。後來要更換祝板上的題字時，工匠們刮了很深，也沒有把王羲之寫的字刮掉。他們才發現，王羲之的字剛勁有力，已經透入木板三分深了。

小小成語通 形容毛筆字的筆力強勁，或是文章的論點很深刻。

鑿（ㄗㄠˊ）壁（ㄅㄧˋ）偷（ㄊㄡ）光（ㄍㄨㄤ）

出處：葛洪・西京雜記

《鑿壁偷光》

漢朝有個好學的人名叫匡衡，他家境貧窮，買不起燈油，晚上無法讀書。

匡衡隔壁的鄰居非常富有，每晚都燈火通明，匡衡原本想到鄰居家裡去讀書，但是遭到拒絕。

匡衡想出了一個辦法，他偷偷的在與鄰居相鄰接的那面牆上，鑿了一個小洞，再將書本對著由小洞透過來的光線，這樣晚上就可以讀書了。

小小成語通 形容人刻苦好學。

三ㄙㄢ人ㄖㄣˊ成ㄔㄥˊ虎ㄏㄨˇ

出處：戰國策・魏策

《三人成虎》

　　戰國時魏國大臣龐蔥要陪太子到趙國做人質，龐蔥問魏王：「若有一人說街上有老虎，您信嗎？」「不信。」龐蔥再問：「若有第二人這麼說呢？」魏王說：「半信半疑。」他又問：「若有第三人說呢？」「當然信了。」龐蔥說：「我離開後必有人說我壞話，請別聽信。」魏王答應了，後來卻仍聽信謠言，不再召見龐蔥。

小小成語通 比喻很多人散播謠言，假的也會讓人以為是真的。

一ˊ箭ㄐㄧㄢˋ雙ㄕㄨㄤ鵰ㄉㄧㄠ

出處：北史・長孫晟傳

《一箭雙鵰》

長孫晟是南北朝時北周大將，騎馬射箭的本領高超，突厥人非常敬佩他。

有一次，長孫晟和突厥王一起出去打獵時，看到了兩隻鵰在空中爭奪一塊肉，突厥王拿出兩隻箭，請長孫晟把鵰射下來。

長孫晟立刻拉弓放箭，一箭就把兩隻鵰同時射了下來。突厥人看得目瞪口呆，對長孫晟的射箭技術佩服不已。

小小成語通 比喻做一件事，可以獲得兩種好處。

一鳴驚人

出處：韓非子・喻老

《一鳴驚人》

戰國時代，楚莊王不管國家大事，楚國處境日益危險，大臣申無畏勸楚莊王：「大王，楚國有隻大鳥，住在王宮三年了，不飛也不叫，請問這是什麼鳥？」楚莊王知道申無畏是在說他，便回答：「這鳥不飛則已，一飛就會直沖上天；不鳴叫則已，一旦鳴叫就會驚動人群。」

楚莊王從此專心治國，別國再也不敢來侵犯了。

小小成語通 比喻做事或說話，一次就有非常好的成績和表現。

揠（一ㄚˋ）苗（ㄇㄧㄠˊ）助（ㄓㄨˋ）長（ㄓㄤˇ）

出處：孟子·公孫丑

《揠苗助長》

春秋時，宋國有個急性子的人，老是嫌田裡的禾苗長得太慢。他天天去田裡察看，覺得禾苗都沒有長高。有一天，他終於忍不住了，來到田裡，把禾苗一株株的往上拔高。完成工作回到家後，他對兒子說：「今天我幫禾苗長高了，真累呀！」

他兒子一聽，急忙跑到田裡去察看，發現禾苗已經全部枯萎了。

小小成語通 比喻不顧事物的發展規律，強求速成，結果反而將事情弄糟。

自ㄗˋ相ㄒㄧㄤ矛ㄇㄠˊ盾ㄉㄨㄣˋ

出處：韓非子・難一

《自相矛盾》

有個賣兵器的人，帶著矛和盾，到市集去賣。他吹噓說：「我手上這面盾是世上最堅固的，什麼東西都穿不透。」說完，又拿起矛說：「這支矛是天下最鋒利的，無論什麼堅硬的東西都可以刺穿。」

有人聽了，就問：「如果用你的矛去刺你的盾，會怎麼樣呢？」賣兵器的人聽了，半天都說不出話來。

小小成語通 比喻說話或行為前後不一，互相牴觸。

魚目混珠

出處：魏伯陽・參同契

《魚目混珠》

從前有個人名叫滿願，壽量是他的鄰居。

滿願用積蓄買了一顆非常珍貴的珍珠，壽量也想要有一顆，恰好他在海邊撿到一顆魚眼珠，以為是珍珠，就把它收藏起來。

後來，他們同時生了重病，需要用珍珠配藥，他們就把珍珠拿出來。結果滿願的珍珠閃閃發亮，壽量的魚眼珠卻黯淡無光，一看就能分辨出真假。

小小成語通 比喻用假貨冒充真品。

兩敗俱傷

出處：戰國策・齊策

《兩敗俱傷》

戰國時，齊宣王準備攻打魏國，淳于髡想勸他打消這個念頭，便說：「大王，從前有一隻獵犬追著一隻狡兔，牠們追逐了很久，累得動彈不得。這時正好有位農夫經過，輕鬆的把牠們帶回家殺了。現在我國如果攻打魏國，不但損失很大，還會讓秦國和楚國乘虛而入。」

齊宣王聽了覺得很有道理，便打消攻魏的念頭。

小小成語通 比喻兩個人互相爭奪，結果雙方都同樣受到傷害。

破釜沉舟

出處：司馬遷・史記・項羽本紀

《破釜沉舟》

秦朝末年，秦軍將鉅鹿團團包圍，項羽率軍渡河救援鉅鹿。

渡河後，項羽下令把所有船隻鑿破，沉入河底；又把飯鍋打碎，只發給每個軍士三天的乾糧，就上戰場了。

項羽這樣做，是為了表示勇往直前的決心，激發大家的鬥志。最後，果然消滅了秦國的軍隊，順利解除了鉅鹿的危機。

小小成語通 比喻下定決心，勇往直前的精神。

沉魚落雁

出處：莊子・齊物論

《沉魚落雁》

春秋時，越國被吳國打敗，越王句踐決定用西施的美貌迷惑吳王夫差，再暗中復國。據說西施在溪邊浣紗時，魚見了她的美貌都不敢浮出水面。

漢元帝時，妃子王昭君被選中到塞外和匈奴單于和親。當王昭君出塞時，天上的野雁都驚訝於她的美麗而掉入樹林中。

後世便用「沉魚落雁」來形容絕世美女。

小小成語通 用來形容女子的美貌。

黔（ㄑㄧㄢˊ）驢（ㄌㄩˊ）之（ㄓ）技（ㄐㄧˋ）

出處：柳宗元・黔之驢

《黔驢之技》

　　從前貴州沒有驢，有人運了一頭去，因沒用而遺棄在山上。貴州的老虎從沒見過驢，一開始不敢接近牠。日子久了，老虎逐漸習慣驢的模樣和叫聲，就慢慢接近驢，仔細的觀察牠。又過了一段時間，老虎開始嘗試去碰驢。驢生氣的揚起雙腿往後踢。

　　老虎知道驢的本事不過如此，就大膽的撲向驢，把牠吃了。

小小成語通 比喻本領低微，被看穿以後，就沒有辦法再唬人了。

畫（ㄏㄨㄚˋ）虎（ㄏㄨˇ）類（ㄌㄟˋ）犬（ㄑㄩㄢˇ）

出處：范曄‧後漢書‧馬援傳

《畫虎類犬》

東漢大將軍馬援，在給姪子的信中寫著：「龍伯高是一位敦厚的人，我希望你可以學習他的品行。杜季良為人豪爽，但我卻不願意你學他。如果學龍伯高不成，還能成為謹慎的人；就像刻鵠鳥不成，卻刻出了鶩鳥，仍然是鳥類。如果學杜季良不成，就會變成輕浮的人；這就像畫老虎不成，卻畫出一隻狗一樣。」

小小成語通 比喻原本想學習別人，結果不但沒有學成，反而更糟。

負荊請罪

出處：司馬遷‧史記‧廉頗藺相如列傳

《負荊請罪》

戰國時，趙國大臣藺相如的地位原本不如廉頗，後因完璧歸趙之功，地位超越廉頗。廉頗不服氣，想羞辱藺相如。藺相如知道後處處迴避他。一天，藺相如遠遠看見廉頗的馬車，就避到巷內，對部下說：「秦國因為趙國有我和廉將軍，才不敢來犯，所以我們不能內鬨。」

廉頗知道後很慚愧，便赤身背著荊杖，到藺相如家請罪。

小小成語通 比喻親自向人賠罪。

懸ㄒㄩㄢˊ 梁ㄌㄧㄤˊ 刺ㄘˋ 股ㄍㄨˇ

出處：戰國策・秦策

《懸梁刺股》

「懸梁」的典故出自漢朝孫敬，他常閉門讀書，為了怕自己打瞌睡，用一根繩子，一頭繫在梁上，一頭綁在頭髮上，一打瞌睡，繩子扯痛頭髮，人就會立刻驚醒。「刺股」是戰國時蘇秦的故事。當他讀書讀累了，就拿錐子猛刺大腿，讓頭腦因劇痛而清醒，然後繼續讀書。

他們這樣刻苦上進，後來都成為知名的人。

小小成語通 形容勤奮好學的精神。

一鼓作氣

出處：左傳・莊公十年

《一鼓作氣》

春秋時齊國攻打魯國，魯莊公正要下令擂鼓，卻被曹劌阻止了。等齊軍擂過三次鼓，曹劌才下令擂第一次鼓。魯軍聽到鼓聲後奮勇殺出，齊軍大敗。

事後，曹劌解釋說：「打仗全憑勇氣，敵人擂第一次鼓時，士氣最旺；擂過第二次、第三次以後，士氣已經變弱，這時我軍才擂第一次鼓，軍隊士氣正旺盛，當然會獲勝。」

小小成語通 比喻做事要趁鬥志很高時，一口氣完成。

掩耳盜鈴

出處：呂氏春秋·自知

《掩耳盜鈴》

戰國時，晉國的范氏家族被消滅後，有個人跑到范氏家，看見一口大鐘很值錢，就想偷走。可是鐘很重，於是他想先敲碎再帶走。但他怕敲鐘的聲音會被人聽到，所以他把自己的耳朵塞住再去砸鐘。

他雖然塞住了自己的耳朵，可是別人的耳朵並沒有塞住呀！結果他砸鐘的時候，別人聽到了聲音，當場就把他捉住了。

小小成語通 比喻人自作聰明，想欺騙別人，結果欺騙了自己。

亡_{ㄨㄤ}羊_{一ㄤ}補_{ㄅㄨ}牢_{ㄌㄠ}

出處：戰國策・楚策

《亡羊補牢》

戰國時，楚國有位大臣叫莊辛。他勸楚襄王：「您在宮裡有川侯、夏侯在旁；出外有鄢陵君、壽陵君跟隨，身邊都是小人，楚國恐怕很危險了。」楚襄王不聽，莊辛便請求襄王讓他離開到趙國去。後來，秦國佔了楚國許多土地，襄王把莊辛請回，問他該怎麼辦。

莊辛說：「我曾聽說『羊跑了才修補羊圈，也還不遲。』」

小小成語通 比喻在事情發生以後，才想辦法補救。

臥薪嘗膽
ㄨ ㄒ一ㄣ ㄔㄤˊ ㄉㄢˇ

出處：吳越春秋・句踐歸國外傳

《臥薪嘗膽》

　　春秋時，吳王夫差大敗越國，俘虜了越王句踐。句踐在吳國做著打掃和養馬的工作。他為了假裝對夫差忠順，竟在夫差生病時為他嘗糞，預測何時痊癒。夫差見他忠心耿耿，就放他回國。

　　句踐回國後一心報仇，睡在柴草上，不鋪被褥；又在房裡懸掛苦膽，吃飯和睡覺前都要嘗一嘗。後來越國很快就強盛起來，消滅了吳國。

小小成語通 比喻刻苦自勵，發憤圖強。

完ㄨㄢˊ璧ㄅㄧˋ歸ㄍㄨㄟ趙ㄓㄠˋ

出處：司馬遷・史記・廉頗藺相如列傳

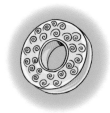

《完璧歸趙》

　　戰國時趙惠文王有一塊價值連城的「和氏璧」，秦昭王願以十五座城池交換。趙惠文王派藺相如出使秦國，用「和氏璧」換城池。他到秦國後覺得秦王無意割讓城池，就派人把寶玉偷偷送回國，然後去見秦王，說：「我看您不守信，就把寶玉送回國了。若您還想交換，請先割讓城池。」

　　秦王很佩服他，讓他平安回趙國。

小小成語通 比喻把東西完整的交還給原來的主人。

鷸蚌相爭

出處：戰國策·燕策

《鷸蚌相爭》

戰國時，趙惠王想攻打燕國，於是燕國派蘇秦去見趙惠王。蘇秦說：「有隻河蚌在岸上休息，這時飛來一隻鷸鳥想吃牠，不料鳥嘴被蚌殼緊緊夾住；雙方都不退讓。這時，一位漁夫經過，把牠們都捉了起來。我們兩國就像鷸鳥和河蚌一樣，若彼此爭鬥，只會讓秦國坐收漁翁之利。」

趙惠王覺得有道理，就不攻打燕國了。

小小成語通 比喻彼此相爭，使第三者有機會得到利益。

愚公移山

出處：列子・湯問

《愚公移山》

愚公是一位九十歲的老人。他家門前有太行、王屋兩座大山阻擋，交通非常不便。愚公和全家人商量，決定把山移走。一位叫智叟的人嘲笑愚公說這是不可能的。

愚公卻說：「我的子子孫孫是沒有窮盡的，而山挖掉一寸就減少一寸，不會再長高。因此只要有恆心，還怕不能移山嗎？」

智叟聽了，張口結舌，無話可說。

小小成語通 比喻人只要有恆心，再艱難的事情也會成功。

幼兒版成語故事 / 風車編輯製作編輯. --
- 再版. -- 新北市：風車圖書，2015.03
　　　面　；　　公分
ISBN 978-986-223-372-6(精裝)
1.漢語 2.成語 3.通俗作品
802.1839　　　　　　104002877

幼兒版 成語故事

- 社長 / 許丁龍
- 編輯 / 風車編輯製作
- 出版 / 風車圖書出版有限公司
- 代理 / 三暉圖書發行有限公司
- 地址 / 221新北市汐止區福德一路392巷23號之1
- 電話 / 02-2695-9502
- 傳真 / 02-2695-9510
-統編 / 89595047
- 網址 / www.windmill.com.tw
- 劃撥 / 14957898
- 戶名 / 三暉圖書發行有限公司
- 出版 / 2015年3月再版